CW00552597

1 MONTH OF
FREE
READING

at

www.ForgottenBooks.com

By purchasing this book you are eligible for one month membership to ForgottenBooks.com, giving you unlimited access to our entire collection of over 1,000,000 titles via our web site and mobile apps.

To claim your free month visit:

www.forgottenbooks.com/free1015594

ISBN 978-0-332-24536-2
PIBN 11015594

This book is a reproduction of an important historical work. Forgotten Books uses
state-of-the-art technology to digitally reconstruct the work, preserving the original format
whilst repairing imperfections present in the aged copy. In rare cases, an imperfection in
the original, such as a blemish or missing page, may be replicated in our edition. We do,
however, repair the vast majority of imperfections successfully; any imperfections that
remain are intentionally left to preserve the state of such historical works.

For support please visit www.forgottenbooks.com

Zur Einleitung.

Im Saale war keine eigentliche Dekoration; die Wände mußten wohl mit dunklen Tüchern verhängt sein, man konnte keine Vorstellung von der Ausdehnung des Raumes gewinnen. Vor den Zuschauern auf der niedrigen Bühne war Licht. Eine geschickte Anwendung der Beleuchtungstechnik hatte dort einen Luftraum voll Licht geschaffen, der nach dem dämmerigen Saale hin deutlich abgegrenzt erschien. Der Boden der Bühne war dunkel. Ein breiter, völlig schwarzer Streifen trennte die Zuschauer von der Bühne, es zog sich vor ihr eine Versenkung für das Orchester hin. Den einzigen Schmuck bildeten zwei phantastische Blumenständer auf beiden Seiten dieser Versenkung; zwei Bündel schlanker Bronzesäulen, von denen ein Gegitter von Armen ausging, deren jeder den Hals einer Kristallvase mit Blumen umfaßte, so daß das Ganze locker und üppig wie ein in der Bewegung plötzlich verzauberter Guß von Blumen aufragte.

Der Duft der Blüten zog in der Luft umher, die noch bewegt war von den Tönen der Musik. Eben waren die Menschenketten des großen Reigens im Hintergrunde verschwunden, und der Zuschauer wußte, daß nun der eigentliche Tanz beginnen sollte, der

5

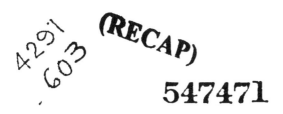

das prunkvolle Fest einleiten mußte, als die stillste und schwerste der reinen Künste. Nachher würde das Licht plötzlich den ganzen Festsaal erobern, und vom einsetzenden Orchester in eine Masse von Tönen verwandelt die Welt umher weit auftun. Der Zuschauer kannte die sommerlichen Tänze auf den sonnigen Wiesen; hier sollte nun die ernste, strenge Kunst des Tanzes kommen.

Als der letzte Nachhall der Klänge und Geräusche des Reigens verschwunden war, kamen drei Jünglinge aus dem Hintergrunde langsam vorgeschritten, mit um die Hüften verschlungenen Armen eine kompakte Gruppe bildend. Die Zuschauer waren ganz still geworden, als diese ernsten Drei erschienen, deren gemessenes, lautloses Gehen fast traumhaft anmutete. Und langsam begab sich im Rhythmus dieses Vorwärtsschreitens ein Lösen der Gruppe. Man sah die Gestalten mehr und mehr entfernt voneinander, die Arme glitten aneinander hin, der Mittlere war zurückgeblieben, die Hände der Vorderen hatten sich berührt, so daß ein Dreieck entstand. Dann bog sich, indem das Schreiten der Vorderen immer langsamer wurde, der Mittlere unter ihren Händen durch, zog die andern Hände, die er gefaßt hatte, nach, und so kehrte sich die Gruppe in einer geschmeidigen Bewegung um und wuchs empor, wie wenn die gehemmte Bewegung des Schreitens in die hochgehenden Arme stiege. So standen sie einen Moment beim Steigen des Rhythmus. Sein Sinken zog die Gruppe auseinander, die Bewegung senkte sich in die Breite. Es war in ihr vom ersten Anfang an bis jetzt keine Unterbrechung gewesen, keine Lücke, kein Rascher- oder Langsamerwerden, und darin lag die eindringliche Schönheit der Bewegung.

.Während die Bewegung der drei Knaben so ab-
setzte, sah man schon vom Hintergrunde her drei
Mädchen sich nähern und sich anschicken, die Figur
der Knaben zu wiederholen. Durch ihre andersartige
Erscheinung, die leichte, reizvolle Nuancierungen der
Bewegung schuf, war das ' nicht nur eine Wiederholung, sondern noch eine leise Steigerung des Geschehens. Die langsame, stetige Bewegung auf den
Beschauer zu hatte, wie sie so plötzlich da war, sofort
etwas Packendes, so ergriffen die Mädchen die Bewegung des Tanzes in dem Moment, da sie vorn ab-
biegen und in der Verbreiterung langsamer werden
wollte. Die Welle, die beim Lösen der Jünglings-
gruppe zurücksank, stieg in den herankommenden
Mädchen rhythmisch wieder empor. Das Geschehen
zog ohne Unterbrechung wie ein Strom heran, und
der kundige Zuschauer erkannte nun, daß es ein orga-
nischer Teil eines großen Ganzen war, daß hinter
diesem Tanze der sechs jungen Menschenkinder ein
leitender, formender Wille stand.

Die Mädchen schritten als drei einzelne Gestalten
schon weiter vorn und langsamer. Die gehemmte Bewegung stieg wieder in die freien Arme und hob sie;
die langsam wechselnden Lichtstreifen auf den bloßen
Armen erschienen wie die Bewegung selbst, die in die
Hände ging und sie lebendig machte. Als sie sich
faßten, lief es wie eine Welle durch alle drei Körper
und zog sie zueinander, zog die Mittlere vorwärts und
stieg bei der Umkehrung der Gruppe mit allen Armen
zugleich langsam hoch.

Von Anfang an war gar keine Musik zu hören gewesen und noch immer ging alles schweigend vor
sich. Freilich schien der Tanz selbst zu klingen und
zu tönen. Aus allen Bewegungserinnerungen in dem

geschulten Körper des Zuschauers heraus gestalt‹
sich ein Begreifen der Tanzbewegung in ihrem Zusa‹
menhange, sie entstand in ihm wesenhaft wie ei
Melodie. Die Gruppe der Mädchen löste sich, und
dies Auseinandergehen schritten die Knaben hinei
den Rhythmus wieder empordrängend. In ihre
gehobenen Armen fingen sie die Bewegung der Mädche
auf, die mit ihrer eigenen vereinigt jedes Paa
kreisen machte, ehe es, der stärkeren Bewegung fol
gend, weiter zog in einem großen Kreise, den die dre
Paare hintereinander schritten. Immer wieder triebe‹
sie aus ihm in drei Einzelstrudel hinaus, wenn da‹
Mädchen seine Rückwärtsbewegung hemmte, und
immer wieder drängten die Knaben dann vorwärts
in der gleichgerichteten großen Kreisbewegung. Die
jugendlichen Menschen bewegten und drehten sich
mit völliger Gleichmäßigkeit und Leichtigkeit, und die
Bewegung floß dahin, wie eine Sequenz in der Musik,
bis das eine Paar den Rhythmus mit einem lebhafteren
Umschwunge verstärkte und dadurch aus der Bahn
gelenkt wurde. Der Knabe kam rücklings schreitend
nach vorn; durch ein plötzliches Stehenbleiben des
Mädchens gewann seine Bewegung etwas Eindring-
liches und beeinflußte die beiden andern Paare in
dem Maße, wie er sich entfernte. Ihre Bewegung
wurde langsamer, als verbreitete sie sich in dem
wachsenden Raume zwischen den sechs Tanzenden.
Das Kreisen schwankte und stand still.

Der Knabe hatte die Anfangsbewegung des Tanzes
wieder gebracht, aber allein. Ein Schreiten, das mehr
und mehr gehemmt ward und nun aufwärtssteigend
einen Ausweg suchte, das die Arme lebendig machte
und sich aus ihnen wie eine reflektierte Wellen-
bewegung über den emporstrebenden Körper verbreitete

8

und verlangsamte, bis auch seine Bewegung in dem Momente stand, wo er sich vom Boden loslösen wollte. Auch in den andern beiden Paaren war die Bewegung in einem so langsamen Anstiege zum Höhepunkte gekommen, und alles stockte jetzt einen Augenblick. Da begann in den Armen des einzelnen Mädchens eine Bewegung aufzusteigen, glitt auf ihren Körper über und führte ihn zurück. Und als sie schritt, zog ihre Bewegung die andern alle nach sich, daß die Woge sich rückwärts senkte. Der ganze Strom floß mit einem Male wieder, bis alle hinten beisammen waren und sich zu einer Kette schlossen; so kamen sie wenige Schritte nach vorn und standen dann still. Der erste Teil des Tanzes war zu Ende. Und keine Musik hatte den Rhythmus angegeben; er war in den Tanzenden lebendig da; und wer von den Beschauern nicht nur mit dem Auge Bilder gesehen, sondern mit dem ganzen geschulten Körper den Tanz verstanden hatte, der hatte ihn als eine organische Einheit erlebt. Es war ein Kunstwerk, aus Bewegung geformt.

I. KAPITEL.

Tanzen und Tanzkunst.

Jahrelanger Aufenthalt in einer aufblühenden Schulgemeinde hat die Gedanken dieses Buches erwachsen und reifen lassen. Es lag ein reiches künstlerisches Erleben vor, sowohl am eigenen Lernen und Schaffen, wie an dem anderer Menschen; es gab da jenes intensive Leben junger, idealistischer Gemeinschaften, das alle Farben satter macht, und alle Fragen ernster auftreten läßt. Uns allen, die wir in der modernen Zeit Kulturgemeinschaft und die neue Gesellschaft suchen, tritt früher oder später auch einmal als ein spezielles Problem dieses neuen Gesellschaftslebens die Frage nach der Kultur der Feste entgegen. Und das führt zum Problem des Tanzes, wenigstens sozusagen auf den Zuschauersitz. Die Festhalle ist da, und wir sitzen in der Erwartung neuartiger Aufführungen, die aus dem neuen Leben erwachsen sollen. Wer durch die Körperkultur in eigner Person zur Freude am Tanzen geführt worden ist, versucht auf alten und neuen Wegen in das Land der Tanzkunst einzudringen. Die Schriften über den Tanz mehren sich, den künstlerischen Werten wird nachgespürt, und mit dem Verstande zu erobern versucht, was ein uralter Instinkt als wertvoll begehrt; aber im ganzen wird doch viel gedacht und wenig geschaffen. Daß einzelne begabte Personen tanzen, hilft unserer Kultur der Feste nicht, wir brauchen eine Tanzkunst, die in der ganzen Breite unseres modernen Lebens und Denkens heimisch ist. Man kann Feste nicht am Schreibtisch dichten, am allerwenigsten durch pathetisches Zitieren der Vergangenheit. Wir wollen einen Tanz, bei dem wir uns nicht vor unserer übrigen intellektuellen Kultur genieren, bei dem wir nichts absichtlich übersehen, was sie heraufgeführt hat und auf Schleichwegen zu dem alten Tanzinstinkt in uns zurückgelangen; sondern im Gegenteil: die Tanzkunst soll eine Bahn öffnen, auf der dieser starke Instinkt wieder frei empordringt, und, indem er uns ganz erfaßt, uns über uns selbst emporhebt.

Gäbe es ein solches Tanzen etwa nicht? Dann braucht der moderne Mensch keinen Tanz. Dann ist die Rede von der Tanzkunst ein alter Zopf, hübsch zugleich und rührend, aber nicht kriegerisch, wie wir doch endlich und durchaus wieder einmal sein wollen. Dann gibt es hygienischere Amüsements als das Tanzen.

Aus dem Leben der Freien Schulgemeinde beginnen Feste zu erwachsen. An solchen Orten, wo Menschen jeden Alters und Geschlechtes ständig — und nicht nur an periodischen Abenden oder Sonntags — unter der Devise „Kulturarbeit" beisammenleben, an solchen Orten ist gute Gelegenheit, nach dem neuen Tanz zu suchen; dort kann er aus dem Leben erwachsen, ohne daß ihn ein Einzelner zu früh allein in die Finger nimmt, und an dem noch unvollständigen Material seiner Begabung verbraucht.

Daß bei der so erschütternd ernsthaften und sehnsüchtigen Kunstsucherei unserer Zeit doch so wenig

Wirkliches an Werken entsteht, liegt vielleicht an der
zu frühen Anfängen der Künstler, an dem Schaffen
ohne Material oder mit selbstgeschaffenem Schein –
material. Material zur Tanzkunst, wie es Jacques –
Dalcroze in bezug auf den Rhythmus schafft, die
Körperkultur in bezug auf Bewegungsformen, und die
Malerei in bezug auf Farbenwirkung, kann nur in
einer Lebensgemeinschaft wirklich und gegenständlich
vorhanden und verfügbar sein.

Es soll nun davon die Rede sein, wie in der Freien
Schulgemeinde Wickersdorf die Anfänge einer Tanzkunst gefunden wurden.

Ein Teil der Mitglieder brachte stets die Freude am
herkömmlichen Tanzen und eine gute Übung darin
mit. Nun ging es aber nicht an, daß diese einzelnen
in irgend einem Nebenplan oder Hintergrunde der
Schule privatim Tanzvergnügen arrangierten; denn
mit allem, was man trieb, war man im Organismus
des Ganzen. Mit andern Worten: es wirkte ein starker
Zwang zum Stil. Dieser Stil verlangt aber unter
anderem, nichts in sich Wertvolles zu profanieren.
Und das Milieu des üblichen Tanzvergnügens erschien
als eine Profanierung der Musik, die man sonst für
wertvoll — sagen wir ruhig heilig — hielt. Man
kann ihr beim besten Willen nach einem Tanzabend
kaum so ganz schnell wieder die oft schlampigen
Magdskleider abnehmen, und sie auf ihren Hochsitz
zurück praktizieren. Das mag pedantisch klingen, es
ist aber eine Sache der Ehrlichkeit, die schäbige Rolle
der Musik beim Kleinbetrieb des Tanzes zu beach-
ten. — Andernfalls geht man eben einen der oben
erwähnten Schleichwege. Nach jedem Tanzabend
grassierte die Seuche des Melodienpfeifens oder
-Trällerns, und damit das Sichberauschen (oder besser

Sichbezechen) an minderwertiger Musik. Wenn nun die Musik als Kunst eine hohe und wichtige Funktion haben soll, geht das andere nicht gleichzeitig. Vielleicht schade um das Vergnügen, aber es geht nicht. Man hängt sich auch nicht gelegentlich Kitsch an die Stubenwände und pflegt die höhere Kunst Sonntags in der Galerie.

Dazu kam, daß der Tanz nur selten gut aussah; wo viel Sport (und vor allen Dingen Gymnastik) getrieben wird, da werden die Augen unbarmherzig. Man mußte mit Erstaunen konstatieren, daß der herkömmliche Tanz, wenn er in Balltoilette geschah, wahrhaftig noch am besten aussah (Ausnahmen natürlich ein für allemal zugestanden). Womit man nun allerdings den Tanz und nicht die Sporttracht für diskreditiert hielt. Denn wenn zum Tanz für den im guten Sinne anspruchsvollen Zuschauer ein bestimmtes Kostüm gehörte, das die Körperform durchaus veränderte, so stimmte da etwas nicht. Das Kostüm ist wohl als Mittel wertvoll, darf aber nicht Bedingung sein. Denn für den Tänzer im Sinne des echten Tanzinstinktes ist die Körperbewegung die Hauptsache; daher mußte der Tanz so beschaffen sein, daß sie auch für den Zuschauer voll erscheinen kann.

Freilich kommt es ja bei dem herkömmlichen Tanz auf den Zuschauer nicht an, und er soll deshalb wie eine Gymnastik in allen Ehren gelten. Aber eine Kunst kann aus ihm nicht entstehen, wenn sich nicht ein Werk, eine geschaffene Einheit, in ihm vor Aufnehmenden (Zuschauern) offenbaren kann.

Wenn in Wickersdorf also der herkömmliche Tanz auch nicht befriedigte, so wollten wir ihn doch nicht gern beiseite legen; die Freude daran ist viel zu groß, und wo starke Lust zu einer Tätigkeit ist, besteht

die Möglichkeit, eine Laufbrücke vom Tagesleben au:
das höhere Ufer der Kultur hinüberzuschlagen. Da:
wäre der pädagogische Gesichtspunkt, und selbst wenn
der Tanz gar nichts weiter leistete, als den Körpei
geschmeidiger und das Benehmen gewandter zu
machen, müßte er von der Schule gepflegt werden.
Das ist ja auch die Rede, die man auf der pädagogischen Schattenseite des Problems oft vernimmt: *Ja,
den Tanz wollten wir schon, aber nur nicht diesen!
Einen s c h ö n e n.* Und dann folgen zuweilen
Reminiszenzen an die zierliche Porzellananmut des
Rokoko, oder an die „Volkstänze", von denen man
eigentlich gar nicht weiß, wie sie aussehen, die man
nur als frisch und natürlich ahnt, und die doch nur
primitiv sind, und zu uns passen wie Kinderkostüme.
Kinderkostüme stehen als Maskerade manchen Menschen entzückend, aber es ist eben Maskerade. Wenn
wir Menschen glauben, anders geworden zu sein,
können wir auch nicht den Tanz von früher tanzen,
so wenig wir dauernd die Kleidung von früher tragen.
Man führe nur einmal Volkstänze auf — Maskerade!
Das naive Vorherrschen des erotischen Moments
kann man nur auf Kosten der Natürlichkeit durch
eine auf Draht gezogene allgemeine Lebenslust er-
setzen. (Damit ist übrigens keine Verdächtigung des
erotischen Moments beabsichtigt. Zum Pädagogischen
gehört absolut keine Gouvernanten - Askesis. Es
soll nur — wenn es möglich ist — beim Tanzen noch
etwas mehr herauskommen als singen, was der Vogel
singt, etwas Schöneres: eine Kunst.)
Wenn also ein bestimmtes Kostüm, nicht, weil es
im Tanz stofflich eine Rolle spielt, sondern bloß des
Milieus wegen dazu gehört, ist der Tanz lebensfremd
(was den künstlerischen Wert angeht, natürlich),

14

Nett und anmutig kann er deshalb sicher sein. Aber eine Tanzmaskerade kann ebensowenig ein Kunstwerk werden, wie ein Bauwerk aus Backsteinen, die man als Sandsteinquadern aufgeputzt hat, für das der Eisengießer sich mühsam als Steinmetz frisiert hatte, und wo der Gipsmarmor schon nach einem Winter albern aussieht. Wesentlich für die neue Kunstrichtung ist, daß uns die Imitation stört. Also lassen wir sie auch von vornherein beim Tanze, wenn wir in ihm eine Kunst suchen.

———————

II. KAPITEL.

Der Weg.

Fragt sich nur, was man tun soll. Etwas Neues „erfinden" ist ein gefährliches Handwerk. Man versammelt wohl ehrlich und weitsichtig den Geist der Zeit, die Leistungen der Vergangenheit und die eigene Erfahrung in der Retorte, aber nach heißem Bemühen tritt doch nur ein Homunkulus, ein blutlos doktrinäres Kunstgespenst, ans Tageslicht. Das lebt eine Zeitlang vom Blute des Erfinders oder der Erfinderin, und dann haben wir die Individualitätentänzer mit Kunstprogrammen; sie können sehr schön sein. Aber es hängt ihre Schönheit am einzelnen Menschen, der Zuschauer bleibt rezeptiv, es zwingt nicht vom Menschen zum Menschlichen, es macht uns nicht aus Zuschauern zu Mitschaffenden. Was helfen uns die Griechen, und wenn man auch sämtliche schöne Posen des klassischen Altertums auf den Faden irgend einer Musik reihte. Tanz soll nicht nur mit den Augen gesehen, sondern von dem ganzen Körpergefühl mitempfunden werden, daher kann sein Prinzip nie der schöne Mensch oder die schöne Stellung sein.

Das Zusammenstellen von einzelnen Posen und Figuren allein kann kein Kunstwerk gehen, so wenig wie eine Mosaik von Akkorden und Motiven ein Musikstück. Es muß ein künstlerisches Gesetz, das aus dem Wesen des Materials entspringt, das Ganze zur Einheit formen. Ein äußeres Zusammenkitten, etwa durch einheitliche Stimmung, hilft da nichts. Ein ganzer Haufen lebendiger Zellen, auch wenn er durch· irgend ein Bindemittel plastisch gemacht worden ist, gibt noch keinen Organismus.

Dieses Grundprinzip, das Material der Tanzkunst, ist die Körperbewegung, ganz unabhängig von der äußeren Erscheinung betrachtet. Sie muß als lebendige Anschauung vorhanden sein, wenn ein Tanzkunstwerk entstehen oder begriffen werden soll. Sie ist das Gebiet des alten Tanzinstinktes, der den Menschen loslöst von dem Bewußtsein, gesehen zu werden oder zu sehen, und ihn wie einen abgetriebenen Schwimmer hinausführt in den Strom der Bewegung. Bewegung läßt sich formen, räumlich wie zeitlich, und so gibt es logisch die Möglichkeit einer echten Kunst der Bewegung. Freilich muß diese Kunst aus ihr erwachsen und kann nicht konstruiert werden. Und sie wird kommen wie eine Blüte aus der Fülle aller Reigen und Volkstänze, aller Körperbewegung in Sport, Spiel und Gymnastik, als eine Blüte, die hervorgetrieben wird von dem Drange des Menschen nach geformter und dadurch bleibender Schönheit, nach unvergänglichen Werten im Gedränge des kleinen Geschehens.

· Und vermag diese Triebkraft aller Kunst aus der Bewegung des Körpers keine solche Blüte zu wecken, eine Kunst der Körperbewegung, die über den dionysischen Tanz ebenso wie über den einzelnen schönen Menschen hinausweist, vermag sie keine Werke hervorzurufen, die nachdem sie getanzt worden sind, wie nun erschaffene metaphysische Wesen fortexistieren, so gibt es Tanz, aber keine Tanzkunst.

Sie vermag es. Die Körperbewegung kann zu

Einheiten geformt werden wie die Aufeinanderfolge der Töne. Man vermag Formen des Tanzes hervorzubringen, und Symbole für die Niederschrift, wie Gesetze für den Lernenden. Man kann Tanzkunstwerke aus ihrem inneren, formgebenden Prinzip heraus begreifen und sie so ausführen, daß eine bleibende Einheit von Schönheit entsteht, nicht nur ein vergängliches Erlebnis der Ausführenden oder Zuschauenden, welche in Körperschönheit eine Zeitlang improvisieren sahen.

Tanzkunstwerke schaffen oder aufführen lernen heißt also erstens: den eigenen Körper so schulen, daß er wie ein feinfühliges Instrument jede Bewegung richtig, d. h. in der Linie des geringsten Widerstandes ausführt, ohne unnötige Kraft oder anklebende andere Bewegungen. Das sind ja bekannte Dinge, und diese Schulung gehört überhaupt zur allgemeinsten Körperkultur. Dabei lernt man dann ferner die Bewegung an der richtigen Stelle zu empfinden, und sie von ihr aus beim Tanze weiterführen und sie so richtig verlängern zu können. Dies setzt schon eine sehr feine Durcharbeitung des Körpers voraus, und man braucht die größere Menge der Mitmenschen nur gehen zu sehen, um zu begreifen, wie viel uns da fehlt.* Drittens heißt es, viele Arten der Bewegung kennen zu lernen. Wenn man Bewegung als Überwindung der Schwere betrachtet, so lernen wir meist nur ihre Überwindung durch annähernd gleich starke Kraft (beim Gehen, Springen, Armheben usw.). Für den Tanz wichtig ist nun außerdem das Studium des Schwunges, der raschen Bewegung, die die Schwere gleichsam überlistet durch Zuhilfenahme der Trägheit, wie der Baumeister den schweren Stein eben durch

* Vergleiche Mensendiek, Körperkultur.

seine Schwere zwingt, sich im Bogen auszuspannen. Diesen Schwung, dies Spiel mit der Schwere, lehren der Sport, vor allem Schlittschuhlauf und Skilauf, und dann der herkömmliche Tanz.

Durch solche Schule muß man gehen, und diese Bedingung einer Schulung charakterisiert schon allein die Tanzkunst, von der dies Buch sprechen will, gegenüber dem dionysischen Tanz. Gerade beim Tanz erscheint diese Voranforderung vielen Menschen umständlich, aber eine Kunst kann man nun einmal nie ohne weiteres. Um zu malen, oder Gemälde sehen zu lernen, muß das Auge erst aktiv werden, auf Formen und Farben reagieren, und um einen Tanz zu schaffen oder anzuführen, muß der Körper zum Werkzeug geworden sein; und wer das scheut, muß eben auf die Tanzkunst verzichten. Mit dem Intellekte oder dem Empfinden allein kommt man keiner Kunst nahe, es muß die Möglichkeit zu realem Erleben da sein.

Der Weg zur Tanzkunst muß über die Körperkultur und den Sport im allgemeinsten Sinne gehen. Wir in Wickersdorf sind ihn gegangen. Wir kennen vom Schlittschuh- oder Skilauf her das Geheimnis, die Bewegung aus kleinsten Elementen zu summieren, mit kleinsten Mitteln zu ändern. Wir kennen vom Eislauf, oder von der Gymnastik J. Dalcroze, oder vom üblichen Tanze her die bedeutsame Steigerung, die eine Bewegung durch sinnvolle Wiederholung (durch Rhythmus) erhält. Die rhythmische Bewegung ist bereits die letzte Vorstufe der Kunst, das Material ist schon zum Ausdrucksmittel geeignet. Aber noch ist keine Kunst da, noch haftet auch das schönste Geschehen am einzelnen Menschen und wirkt auf den einzelnen Zuschauer, so stark die Wirkung auch sein mag, nur novellistisch.

III. KAPITEL.

Das Kunstwerk.

Ja, gibt es das vielleicht überhaupt jetzt noch gar nicht beim Tanze? Das wäre jedenfalls kein Grund, es nicht zu suchen. Ist das Tanzen bis zur Stufe des Liedes gelangt und Ausdrucksmittel geworden, so kann es auch weiter. Da erscheint nun freilich in den Reihen des Publikums sofort das Gespenst der Angst vor dem Doktrinarismus und winkt mit langen, dürren Armen: nicht weiter, nicht heraus aus den blühenden Gefilden des freien Schaffens, des Darstellens der eigenen Innenwelt im Schönen des Tanzens an sich. Das hilft dem Gespenst ja nichts. In der Musik sind die Künstler an ihm vorbeigeschritten, haben im neuen Lande gebaut, und die Menschheit gezwungen, weiterzugeben. In der Tanzkunst wird es gerade so kommen. Das Material, das Leute wie Dalcroze zuhereiten, bedeutet so viel Ansammeln von Spannkraft, daß der Schritt vorwärts zum Kunstwerk früher oder später geschehen wird.

Auf eine spezielle Schwierigkeit freilich trifft diese werdende Tanzkunst bei der Menschheit. Sie kann sich ihr jetzt noch nicht so real in den Weg stellen wie andere Künste. Das musikalische Kunstwerk baut sich über dem Publikum auf, wie der Palast im Märchen, der in einer Mondnacht aufwachsend und die

Stadt verdunkelnd die Arkaden seiner Fundamente
über ihr ausspannt — und die Stadt ist keine Stadt
der Blinden. Die Musik findet im Publikum immerhin leidlich geschulte Ohren vor. Aber setzen wir einmal ein Kunstwerk der Körperbewegung als gegeben
— geschulte Augen sind schon da, aber wo sind die
Körper, die die Bewegungen des Tanzes begreifen.
Ja, die Griechen!

Indes wir sind gegenwärtig doch auch auf guten
Wegen zur Körperkultur, und so darf man von dieser
Schwierigkeit wohl nur als von einem vorläufigen
Hindernis reden. Der Leser sollte es jedoch nicht
übersehen, wenn in diesem Buch von Tänzen als von
Kunstwerken gesprochen werden wird. Es wird
immerhin zu Vielen geredet sein, wie zum Blinden
von der Farbe. Aber daß die Körperkultur mehr und
mehr von der heutigen Gesellschaft als Pflicht erfaßt
wird, macht Bücher von der Tanzkunst schon möglich, sie reden ja von ästhetischen Werten, welche
diese Kultur schaffen wird. In sie hinein wird auch
unser geistiges Leben ständig seine Wurzeln treiben
und seine Sphäre so erweitern.

Die Tanzkunst entwickelte sich an der Hand der
Musik als ihrer Zwillingsschwester, die später durch
zufällige Umstände begünstigt ward, nachdem die
Kultur von den Griechen nach Norden gewandert war.
Beide Künste sind in vielem ähnlich. Nicht nur,
weil man den Tanzrhythmus durch Musik angibt,
nicht nur, weil beide auf der Stufe des Ausdrucks-
mittels etwas Allgemeines, direkt zum Gefühl und der
Stimmung des anderen Sprechendes haben, ohne einer
Gedankenvermittelung zu bedürfen, sondern vor allem,
weil das Material beider Künste, Töne und freie Bewegungen, gleich flüchtig und unwirklich, gleicher-

weise an sich wertlos, aus dem Zweckleben her
sich erhoben hat. Bei anderen Künsten sprechen
leichter Interessen am stofflichen Inhalte des Ku
werkes mit als bei ihnen. So wird auch der Weg
Musik und Tanz ähnlich sein, über das Sichabbil
des einzelnen Menschen in Tönen und Tänzen hina
führen zu Werken, die nicht nur Wiedergaben, so
dern Schöpfungen sind, also zur reinen Kunst.

Einem Einwurf sei gleich begegnet, wenn man v
der „reinen" Tanzkunst spricht. Es entsteht da
leicht der Eindruck einer lebensfeindlich-abstrakte
Gedankenkunst, einer Geometrie der Schönheit. D
wäre natürlich ein Unding, da es sich doch beim Tan
um reale Aufführungen handelt, und wenn die Körper
bewegung sein Material ist, so spielt, ebenso wie jetz
beim Ausdruckstanzen, so doch sicher auch in alle
Zukunft und bei allen Tanzaufführungen unbeding
ein sinnliches Empfinden des Menschen mit, ein
Interesse am Körper, dem alle Schattierungen der
Erotik verwandt sind. Diese Dinge nicht zu wissen
oder nicht wissen zu wollen, hieße sich in Theorie zu
verirren. Dies Buch redet nicht von künstlich konstruierten, gleichsam ungeschlechtlichen Tanzenden
und Schauenden. Noch schlimmer wäre, wenn es
jenes gewaltsam hergestellte Milieu von Unbefangen-
heit und Nichtbeachten des Geschlechts voraussetzte,
das man hin und wieder im Reiche der Körperkultur
trifft und wie falsches Pathos peinlich empfindet. Wie
nun aber die Tanzkunst trotz dieser Zusammenhänge
mit den elementarsten und allersubjektivsten Regun-
gen des Menschen sich zu reiner Kunst erheben soll,
zeigen die Musik und die bildende Kunst. Jede Kunst
erwächst aus einem stark empordrängenden Sinnen-
leben. Aus dem Gefallen blühte der Begriff Schönheit

22

auf, und wenn die Tanzkunst aus den stärksten Trieben des Menschen heraus ihre Gestalt gewinnt, so ist das eine gute Vorbedeutung für die Größe ihrer Macht.

Nicht Stellungen, Gruppen, Posen sind also das Material der Tanzkunst, nicht die Körper oder irgend eine Abstraktion von ihnen, sondern die Bewegung allein. Diese Beschränkung der Theorie auf das rein Formale, dieses gänzliche Außerachtlassen des Psychologischen könnte nun aber zu dem weiteren ironischen Einwande führen, daß man eine solche Art von Tanzkunst doch etwa auch von guten Automaten ausführen lassen könnte. Dies Paradoxon hat schon einen richtigen Kern; denn wenn man von dem Automaten absieht, der eine Abbildung des menschlichen Körpers sein soll, und damit die Häßlichkeit alles Nachgeahmten an sich trägt, so hat wahrhaftig auch die Bewegung des Leblosen ihre Schönheit, wenn sie gegliedert und rhythmisch ist. Jeder von uns hat wohl schon einmal diese Schönheit, die in der Präzision und dem Rhythmus der Bewegung liegt, vor einer großen Maschine empfunden; freilich fehlt dabei, ganz abgesehen von der Unmöglichkeit der Modulation, eine Hauptsache bei uns: die Möglichkeit, die Bewegung in unserer Phantasie mitzuschaffen, ein aktiver Zuschauer zu werden.

Die Bewegung hat Anfang und Ende, läßt sich zeitlich gliedern, räumlich mit ihresgleichen in sinnvollen und sinnlosen Zusammenhang bringen, sie hat Crescendo und Decrescendo und alle Akzente, kurz, sie ist ein den Tönen ähnliches Material, und wie wir bei diesen gewisse natürliche Aufeinanderfolgen und Zusammenstellungen, als Elemente der Musik, in der Welt gegeben, vorfinden, so existieren, physikalisch gegeben, die Bewegungen des Schreitens, Drehens,

Schwingens und die Zusammenhänge verschiedener Bewegungen des Körpers, der ein elastisches System bildet, mit bestimmten, gegebenen Möglichkeiten.

Die Theorie der Tanzkunst darf ihre Gesetze aber nicht entlehnen, sondern muß sie in ihrem Material entdecken. Der Menschengeist bemächtigt sich einer Kunst, indem er ihre Gesetze aus dem Erleben, aus der Anschauung findet (nicht schafft), und ihre Formen synthetisch schafft (nicht zusammenpaßt). Dies Finden der Gesetze kann nicht der Gelehrte oder der Grübler besorgen, hier hilft nur, daß der Künstler schafft, und mit wachen Augen das Überweltliche erkennt, das in seinen Versuchen, zuerst vielleicht nur zufällig, wie ein verirrter Keim sich zeigt, das Kunstgesetz.

Der Tanz soll einen Aufbau der Bewegung bringen; nach ihrem Beginnen soll sie, statt das Ende rasch und gleichsam noch innerhalb des Gesichtskreises zu erreichen, aus sich herauswachsen, soll ohne Knick und lähmenden Haltepunkt längere Zeit dastehen, wobei der Bogen nicht durch bloße Wiederholungen (wie beim üblichen Tanz) im ganzen doch zur geraden Linie werden darf, und muß endlich zielbewußt dem Ende zustreben, das sie im Moment des Gleichgewichts mit dem Aufstiege erreicht.

Das wäre etwas, wie eine Melodie von Bewegung, ein Thema zu einem Tanzkunstwerk.

Und wie sich das musikalische Kunstwerk weiter durch Wiederholung und Ausbau und Kombination der Themen verlängert, wie es alle Möglichkeiten, die in seinen Themen liegen, entwickeln muß, um die in sich richtige und abgeschlossene Form zu haben, so muß auch die Form des Tanzkunstwerkes organisch aufwachsen und eine Einheit werden.

24

Wie soll man sich das aber vorstellen? Wir sehen schon, die Möglichkeit und die Schwierigkeit (auf die nicht deutlich genug hingewiesen werden kann) offenbart sich, wenn wir die Frage so formulieren: wen soll das aber interessieren? Es ist ebenso schwierig davon zu sprechen, als wenn man einem musikalisch nicht geschulten Menschen den Aufbau eines Musikstückes darlegen will. Oder vielmehr noch schwieriger, denn in der Musik ist man immerhin schon gewöhnt, die Notwendigkeit der Schulung anzuerkennen; von der Tanzkunst hingegen glaubt jeder eigentlich das meiste zu verstehen. Goethe: Gemüt hat jedermann, Naturell manche, Kunstbegriffe sind selten. Eigene Schulung ist aber der Weg zu jeder Kunst, und es ist nicht möglich, sie dem großen Publikum mundgerecht zu servieren. Wer sie durchgemacht hat (wenn es Dalcroze gelänge, die große Menge schon nur für die rhythmische Schulung zu gewinnen!) und wer dann verständnisvoll solche Bewegungskunst einmal miterlebt hat, der weiß, wie greifbar und wirklich und „interessant" das ist.

———

IV. KAPITEL.

Einfaches Beispiel für ein Tanzthema.

(Eine Melodie, der erste Teil eines Scherzos.)

Die fünf Mädchen kamen rasch und flüchtig hereingejagt, die Schleier flatterten nach, im Laufe bildete sich eine Kette, die plötzlich durch Zurückziehen der mittleren und Zusammenprallen der Flügel sich doppelte, sich vorn zusammenfügte, sich von der stehenbleibenden mittleren Gefährtin hinten abschwenkend, löste, den Rückwärtsschwung der Flügel wieder vorn zusammenführte und in der Wiederholung dieses Spiels eine rhythmische Wirbelbewegung schuf. Der Fluß der Bewegung war in gleichmäßige Kaskaden gebrochen. Sobald das Tempo der Bewegung hierdurch angegeben war, warf sich das vorhin stehengebliebene Mädchen mit einem Sprung in das Kreisen der zwei Flügel hinein, wurde, wie vom Luftzug, nach vorn hindurchgeweht, hemmte in entschlossenem Aufsprung seinen Schwung, da brandete die Bewegung in ihm empor, und schleuderte den Schleier mit dem einen Ende hoch, daß er momentan senkrecht stand. Alle waren plötzlich unbeweglich. Mit einer geschmeidigen Bewegung schwang die einzelne den niedersinkenden Schleier an dem festgehaltenen Ende hinter sich herum, daß er wie eine Flamme um ihren Körper flog. Als er wagrecht vor ihr schwebte, ergriff sie ihn, nach rückwärts ausweichend, und floh so vor dem nachschwebenden Schleier in die Kette der vier hinter ihr hinein. Wie durch die Berührung einer unsichtbaren Verbindung verbreitete sich hier die Bewegung, drängte die beiden inneren leicht zur Seite und erregte durch dies schräge Ausweichen in beiden Paaren eine entgegengesetzte Kreisbewegung, um deren Peripherie sich die einzelne bewegte, die Paare abwechselnd umkreisend; die breit nachwehenden Schleier der Paare vergrößerten die Bewegung, je mehr die Arme sich mit der Zunahme des Schwunges spannten, die Bewegung entstand in der Höhe zwischen Schleiern und Körpern, sie zog gleichsam alle Schwere an sich und ließ auch die rascheste Drehung noch anmutig erscheinen. Der stark betonte Rhythmus des Anfangs, den die Einzelbewegung zuerst nur wie ein Echo leise wiederholt hatte, war jetzt mehr und mehr angewachsen. Ähnlich, wie im Anfang die Bewegung plötzlich abgebrochen war, hielt auch jetzt wieder die ganze Kette der Mädchen mitten im Schwunge hart an, daß die Bewegung in ihnen emporflutete und die Schleier wie einen leichten Schaum dieser Brandung hoch aufwarf. Aber der Rhythmus war da, er schwang die Paare und die einzelne aufs neue herum und hemmte die Bewegung wieder, daß die Schleiersäulen aufstiegen. Dann wurde die Bewegung schwächer, bei jeder Hemmung stiegen die Schleier weniger hoch, und endlich glitt sie, durch die räumliche Vergrößerung scheinbar immer noch langsamer werdend, in einer Schlangenlinie in die eines einzigen großen Kreises hinein. Die Hände berührten sich, jede Hand ergriff zwei Schleierenden, und während das Schreiten langsam ausklang, schien es in die Schleier hinüberzugehen, die, von Hand zu Hand gereicht, sich innerhalb des Kreises von den Mädchen loslösten und weiter drehten. An der Stelle, wo früher der Höhepunkt des Rhythmus gewesen war, breiteten sie sich noch einmal aus, kamen aus dem Kreise hervor, und über die Körper hinwegschwebend, zogen sie immer langsamer außen herum wie ein farbiger Nebelfluß um die bald durchschimmernden, bald auftauchenden Gestalten, bis sich beim Erlöschen der Bewegung die Schleier langsam senkten und alles ruhig stand.

———

V. KAPITEL

Die Musik beim Tanz.

Auch in diesem Beispiele ist nicht nach dem Rhythmus einer begleitenden Musik getanzt worden, und es muß nun wohl erörtert werden, daß diese schweigenden Tänze nicht aus einem bloßen Doktrinarismus und einer puritanischen Vorstellung von „reiner" Kunst heraus als typische Beispiele gebracht worden sind, sondern weil sie wirklich stärker und unmittelbarer auf das im Zuschauer wirken, was das eigentliche Organ der Tanzkunst ist, auf das Körpergefühl. Man redet längst bildlich von einer Musik der Bewegung, und wer die Organe dafür hat und entwickelt, für den ist sie so real, wie nur irgend eine andere Musik.

Eigentümlich ist das wechselnde Verhältnis der beiden Künste im Verlaufe der Entwickelung. Jede ist bald Herrin, bald Dienerin, und fast jede geistige Bewegung spiegelt sich in ihnen wider, die so eng mit dem Triebleben des Menschen zusammenhängen. Die Antike entläßt sie noch als Zwillingsschwestern, im Norden reift die Musik aus wie keine andere Kunst, während der Tanz planlos und zufällig existiert. Nicht das Gefühl für Körperschönheit ist im Norden verloren gegangen, auch nicht die heitere Freiheit der Sinne, selbst nicht im düstersten Mittelalter. Der Norden war nur noch zu jung für eine Tanzkunst. Er war über die Kindheit hinaus, in der man sich rückhaltlos in den Rhythmus und die Bewegung versenkt, und die Umwelt wie in einer großen Helligkeit vergißt. Und er hatte noch nicht das reife Alter, in dem man durch die Alltagswelt hindurch bewußt und mit offenen Augen den Weg zur Kunst geht. Vielleicht ist jetzt eine Zeit, in der wir diese Unsicherheit der Tanzkunst gegenüber verlieren können in der Erkenntnis, daß es sich bei ihr nicht um ein spielerisches oder leidenschaftliches Zurückgreifen auf die Kindheit handelt, sondern um ein Vorwärtsschreiten in ein neues Land. Freilich muß jedem einzelnen wohl irgend einmal doch erst die Erfahrung beweisen, daß es Tanzaufführungen gibt, die bei aller Anmut und Frische der Darstellung, bei aller leidenschaftlichen Hingabe der Ausführenden und Schauenden den Ernst und den Zug von Überweltlichkeit haben, der sich über ein Geschehen verbreitet, wenn eine Kunstform in ihm in die Erscheinung tritt.

Die Musik soll jetzt die Tanzkunst in ihr eigenes Reich führen; zuerst als dienende Magd, als Trägerin des Rhythmus, dann als Schwester, die das Modell der Kunstform zeigt. Auf der ersten Stufe sollte man nicht zu lange stehen bleiben. Wer in einer Dalcrozeschen Vorführung oder in einem solchen Kursus das endlose, im Grunde gleichförmige Pflastern des Rhythmus anhören mußte, dem kam, wenn er im ernsten Sinne musikalisch ist, wohl unwillkürlich das Gefühl, daß bei aller Trefflichkeit der rhythmischen Gymnastik in dieser begleitenden Musik ein bedenkliches, kulturwidriges Element steckt; und wenn tausend pädagogische Gesichtspunkte dafür sprächen, ein einziger künstlerischer muß sie überstimmen. Noch schlimmer ist natürlich die übliche rhythmusklopfende Tanzmusik im sogenannten „engeren Kreise". Wenn ein Orchester Tänze spielt, so ist das natürlich eine ganz andere Sache. Aber die Tänze zum Klavier, das Tanzmelodien als zerrissene Linien punktiert und den Rhythmus aufdringlich noch extra daneben setzt, sind barbarisch. Und dabei gibt es ein Instrument, das den Rhythmus in unendlich modulationsreicher Weise so eindringlich, so reizvoll und so anfeuernd darstellt, als man nur will, und das beim Spiel wundervoll aussieht — das Tamburin. Wie sieht der Klavierspieler aus, der in einer Ecke den Tanzenden den Rücken zukehrt gegenüber dem Tamburinschläger, der mitten drin sich bewegt und schon mit seinen Bewegungen den Tanz dirigiert, der, wenn er das Instrument beherrscht, vom leisen metallischen Schwirren bis zum kecksten Fortissimo alle Nuancen zur Verfügung hat. Es ist freilich schwerer, nach dem Rhythmus selbst zu tanzen, aber es ist zu lernen, und das ist doch schließlich die Aufgabe des Allgemeintanzes, den Körper so zu schulen, daß er den leisesten Impulsen folgt. Wenn man auf der Suche nach dem echten Tanzen Spanien und Italien und das Tamburin und die lebendigen Körper vergleicht mit manchem Hausball hier, wo die Körper von dem großen Klavier förmlich gehebelt und geschaufelt werden — ja, die guten Tänzer brauchen das freilich nicht.

Musik und Tanz gehen beide leicht auf das Nebengleis der Ausdruckskunst. Die feinen und vielfachen Nuancierungen, die der Walzer zuläßt, und die ihn dadurch zum schönsten und wertvollsten Allgemeintanz machen, lassen den Tanz sich bald der Musik, bald der persönlichen Stimmung innigst anschmiegen und gewähren dadurch das Gefühl einer völligen Auf-

lösung des Schweren, Körperhaften, als träte das innere
Leben in die Erscheinung und bildete sich im Tanze
ab. Selbst das Anschauen eines solchen Tanzes kann
förmlich verzaubernd wirken, als wachte in uns ein
uralter, überweltlicher Instinkt für eine große Einheit
auf wie ein stilles Heimweh. Sicher ist dieser Instinkt
für Ausgeglichenheit und Gleichgewicht aller Teile ein
Weg zur Kunst. Aber solche Ausdruckskunst, die ihn
am leichtesten erweckt, ist noch nicht das letzte Ziel.
Kunst heißt Können, Schaffen oder im Erleben nachschaffen, nicht sich verlieren.

Als Nebengleis möchten wir also bei allem Respekt
vor der Schönheit, die sich häufig darin offenbart,
jene Art von Musiktänzen bezeichnen, bei der das
Untertauchen und Schweben des Körpers im Stimmungsgehalt der Musik das einzige Prinzip ist, den
passiven Tanz, das Improvisieren, das die Tanzkunst
wieder zu einer Magd der Musik macht, die ihr noch
dazu nicht in dem dient, was göttlich an der Musik
ist, sondern in dem, was menschlich ist.

Denn die Tanzkunst kann schon mit Hilfe der Musik
weit mehr als den Menschen nur in ein anderes Land
führen, wenn sie nämlich auf einer weiteren Stufe die
Form der Musik in der Bewegung widerspiegelt, die
Architektur ihrer Werke nachbildet. Eine geformte
Bewegung erscheint hier symmetrisch mit der musikalischen Form als kunstvoller Tanz, und es wird nicht
nur etwas Allgemeines dargestellt, sondern eine Einheit aus einem bestimmten Material, aus der Bewegung,
erschaffen. Diese Tänze verlangen Musik, die in ihrem
Aufbau nicht mehr primitiv ist wie der Walzer. Es
gibt in besonderem Sinne tanzbare Musik. Es sei gestattet, hierfür gleich ein Beispiel zu bringen, denn
wahrscheinlich wird sich bei vielen Lesern bei der Er-

währung kunstvollen Tanzes eine Erkältung der Stimmung einstellen durch die Vorstellung eines konstruierten, sozusagen kontrapunktischen Tanzes. Die Musik begegnet oft ähnlichen Urteilen. Als wenn die in der Form kunstvolle Musik die Errungenschaften der niederen Stufen, nämlich Einheitlichkeit und Größe der Stimmung und das unmittelbare Zu-den-Sinnen-Sprechen aufgäbe! Als wenn diese erste Stufe des Kunsttanzes nicht alle Anmut und Leidenschaft, indem sie sie als Material benutzt, nur größer und schöner darstellte. Freilich ist sie schon nicht mehr ohne körperliche Schulung zu begreifen, auch wenn man noch so viel Ästhetik betrieben hat; denn das Hauptorgan für die Tanzkunst ist das Körpergefühl. Dieser Umstand kann nicht genug betont werden.

VI. KAPITEL

Beispiel: Ein Tanz, der eine Musik abbildet.

Der Geiger begann das Adagio, mit dem die zweite Violinsonate in C-Dur von Mozart anhebt. Die drei Mädchen * hatten im Hintergrunde still und lässig nebeneinander gestanden. Der Ton der Violine weckte die mittlere und zog sie langsam nach vorn. Beim Aufstieg der Melodie hoben sich die Arme, der Körper streckte sich, und das vollkommene Ineinanderarbeiten aller seiner Bewegungen ließ die ganze Erscheinung sich dabei gleichsam vom Boden lösen. Der Schleier trug sich selbst empor, aus dem erst zu einem losen Strang gerafften Gewebe löste sich beim Ausbreiten der Arme ein streifiges Gewirr von Lichtflächen, das im Niedersinken wie ein leichtes, schaumiges Wasser über Gesicht und Schultern rieselte und die Bewegung des Körpers immer mehr verhüllte, bis sie ganz aufhörte. Beim zweiten volleren Auftreten des Motivs in F-Dur wiederholten die zwei Gefährtinnen die Bewegung. Nun begann die Violine die länger ausgesponnene Melodie, mit dem wiegenden, ganz langsamen .

---

* Über Schleier und der Bevorzugung der Mädchen in diesem Buche von der Tanzkunst soll später gesprochen werden.

Rhythmus, den die Mädchen mit leichten Bewegungen aufnahmen. In geschmeidiger Biegung ließen sie die Schleier hinter sich herabgleiten und holten sie in einer breiten Bewegung zugleich nach vorn. Die leichten Schritte, die dazu nötig waren, führten sie zusammen und weiter in einem Kreise herum, bald mit einer Hand im Mittelpunkte, bald mit beiden sich fassend und den Kreis umschließend, so daß der Raum zwischen ihnen sich in langsamer Schwingung vergrößerte und verkleinerte, bis die Violinstimme nach der Überleitung ganz gleichförmig auf und ab schwebte und auch die Tanzenden gleichmäßig und ruhig dahinschritten.

Im Allegro war zuerst bei dem abgerissenen, flatternden Motiv ein zögerndes Zusammentreten und plötzliches Auseinanderfliehen, bis die Violine in die Tanzbewegung hineinführte, die in einem Umschwenken, abwechselnd zu dreien und einzeln, bestand, erst mit starkem Schwunge vorwärts, dann rückwärts gewendet in einem achtsamen, zierlichen Sammeln des Schwunges, der darauf plötzlich in einen tollen Wirbel hineinjagte. Das Emporspringen der Violinstimme in halben Noten riß die Mädchen mit flatternden Schleiern hoch; es war ein Sprung in ein neues Daherwirbeln hinein, bis der stärkste Schwung den Kreis der Tanzenden zerriß und sie auseinanderwehte. Der Anlauf, den Klavier und Violine zum zweiten Thema nehmen, führte die Mädchen wieder zusammen zu einer ähnlichen Kreisbewegung, die aber zierlicher und reicher gegliedert war, indem die Schleier, die vorher durch ihr Wehen und ihre Farbenwirkung das Spiel der Bewegung nur vergrößert hatten, jetzt mit eingriffen und die Zahl der Tanzenden verdoppelten. Bei den halben Noten zog der Wirbel die drei wieder herum, bis zum Abschluß, bei dem alles wie verzaubert plötzlich stillstand, der überleitenden Melodie im Klavier lauschend. Als die Violine sie wieder aufnahm, löste sich die Gruppe, leise vom Rhythmus bewegt.

In solcher Art läßt sich die Architektur eines Musikstückes in einem Tanze wiedergeben, und je mehr der Tanz nicht nur ein rhythmisches Nebenher zur Musik ist, sondern in sich selbst auch eine Einheit darstellt, so daß ein transzendentales Etwas in der Musik und in der Körperbewegung vollkommen gleichzeitig in die Erscheinung tritt, um so höher wird die Schönheit solcher Aufführungen.

VII. KAPITEL

Tanz ohne Musik.

Der oben geschilderte Tanz ist noch kein selbstän-
diges Kunstwerk, sondern eine mehr oder weniger ge-
treue Übersetzung der Musik; aber er nähert sich dem
Kunstwerk schon darin, daß er keine Improvisation
mehr ist. Es steckt schon die Arbeit des Schaffens
darin, nicht nur die des Ausdrückens; denn der
Stimmungsgehalt der Musik läßt sich wohl in der
Sprache der Bewegung auf viele Arten wiedergeben,
die musikalische Form aber nicht mehr durch ein
Aneinanderreihen von Bewegungen, sondern nur durch
Struktur und organische Verbindung derselben. Es
muß schon Themen der Bewegung geben, die nach
den physikalischen Gesetzen der Bewegung sich verlängern, aufeinander folgen und zueinander treten.
Und dies Schaffen der Form, ebenso wie das Sehen
derselben, kann nicht mehr vom Auge aus geschehen,
sondern muß aus dem Bewegungsgefühl des ganzen
geschulten Körpers kommen. Das heißt, es ist echter
Tanz. Daß es schön aussehen soll, ist kein Gesichtspunkt für den Schaffenden, außer bei der Erfindung
des Themas. Was nach den Gesetzen der Bewegung
richtig ist, sieht schön aus.

Aber es ist viel leichter, der musikalischen Form
parallel die der Bewegung zu schaffen oder zu sehen.

Diese Tänze sind noch Etüden für die Arten und Probleme der Bewegung und ihre Wertung für die vielen Arten, wie sich der Rhythmus verbirgt, wie man ihn aufspürt — den störenden beseitigt, damit der gewollte wachse — und vor allem, wie man den Rhythmus dem Tanze nicht künstlich extra beigibt. Die leiseste Bewegung, die ihn enthält, genügt, wenn kein anderer Rhythmus stört.

Und alle diese Dinge lernen sich leicht, es ist wahrhaftig so. Man lernt ja handelnd, es lernt nicht das Gehirn erst dem Körper vor. Freilich gibt es auch keinen andern Weg. Zur Tanzkunst gelangt man nur durch Tanzen.

Dann endlich käme also das eigentliche, selbständige Kunstwerk, der Tanz ohne Musik. Der Tanz braucht die Musik ja nicht notwendigerweise, den Rhythmus gibt in ihm, so deutlich wie nur irgend eine Musikbegleitung, die Bewegung selbst. Und ebensowenig, wie eine Melodie in der Musik einer schulmeisterlichen Akzentuierung des Rhythmus bedarf, ebensowenig bedarf es die Tanzbewegung, wenn der Rhythmus, der in unserem Körper steckt, zur Fähigkeit entwickelt worden ist (siehe Jacques Dalcroze).

Auch den Stimmungsgehalt vermag der Tanz allein zu schaffen, nicht nur durch die elementare Wirkung des schönen Körpers und der anmutigen Bewegung, sondern auch durch Farbenwirkungen des Raums, der Stoffe, die benutzt werden, durch die Zahl und die Gruppierung der Ausführenden. Alle Wirkungen auf das Auge und das Körpergefühl gehören zum Material der Tanzkunst, wie die Klangfarben aller Instrumente zu dem der Musik. Es ist vielleicht schwer, sich ein solches schweigendes Geschehen als Kunsterlebnis vorzustellen, aber die Schwierigkeit liegt nur in einer gewissen Ratlosigkeit dem Geschehen gegenüber, weil die Instinkte und Fähigkeiten, an die es sich wendet, in uns noch zu wenig entwickelt sind. Arbeiten, lernen ist hier die Parole, wie bei jeder Kunst.

Der Schritt zu dieser reinen Tanzkunst geschieht dadurch, daß Kunstwerke geschaffen werden, und zwar an einem Orte, wo die Möglichkeit der Aufführung ein fruchtbares Arbeiten gestattet. Die Beispiele dieses Buches stammen größtenteils aus solcher Praxis; die großen Werke selbst kann freilich nur die Zukunft bringen. Dieses Buch möchte nur einen Weg zeigen auf die neue Hochebene hinauf. Die Welt da oben, die Paläste und Gärten einer neuen Kunst wird die Menschheit schon irgendwann erschaffen, so wie sie in Europa die Musik erschaffen hat.

VIII. KAPITEL.

Ein Beispiel.

Die Knaben kamen eilig über die sonnige Waldwiese daher, den Ring der Zuschauer auf allen Seiten durchbrechend und überspringend; eine kleidsame helle Sporttracht verdeckte die Körper nur wenig, die durch den leichten Stoff noch schimmerten, so daß der ganze Schwarm von Gestalten sich förmlich leuchtend vom Grün der Wiese und vom blauen Himmel abhob. Man sah die warme Luft um die Haut spielen, wenn einer sich umwandte, um dem Zurnfer antwortend, den Rufer unter den Zuschauern zu erkennen. Die Schar ballte sich ohne Zögern nach der Mitte der Wiese hin zusammen, dort erhoben sich Arme, Hände faßten sich, immer mehr drängten hinzu, die Bewegung staute sich auf. Alles dies war durch das straffe Zeitmaß, in dem es so unverzüglich zu geschehen begann, voll von Erwartung. Das Gewirr von lustigen und befehlenden Rufen war mit emporgeschwollen. Aber schon begann die Bewegung nach außen zurückzufluten, und eine so tiefe Stille verbreitete sich plötzlich dabei, daß man die Bäume hinter sich rauschen hörte und die Sonnenwärme mehr spürte. Der Tanz hatte begonnen, man merkte, wie an einem zurückweichenden Ufer, daß man schon in einer starken Strömung trieb.

Aus dem Knäuel der hellen Knabengestalten entwickelte sich leicht in fliegendem Ausbreiten ein Kreis. Sie hielten sich bei den Händen gefaßt, die Arme senkten sich nach vorn, den Schwung beschleunigend. Jetzt mußten sich die vielen Arme zugleich straffen; die Körper hatten schon eine leichte Wendung nach der einen Seite gewonnen, plötzlich rissen sich die Arme ausholend voneinander, und alle Knaben warfen sich mit kräftigem Absprung und Schwung entgegengesetzt herum, landeten mit fliegenden Armen auf dem andern Fuß, und der Schwung des Niedersprungs drehte sie sofort wieder nach innen. Ein starker Rhythmus hatte begonnen, und sie hohen ihn sofort zum neuen Anstieg empor, indem sie nach innen drangen, indem sich die Hände faßten, emporschwangen, so daß sich die ganze Masse schloß und hoch aufrichtete. Aber statt die Bewegung jetzt mit neuem Sprung zu gliedern, gaben die Knaben sie im Moment des Höhepunkts überraschend frei, und man sah sie gleichsam leicht werden und plötzlich verschwinden, als alle in den Kreis, den sie im Ansturm wie eine Mauer von gestauter Bewegung geschaffen hatten, nun auf einmal ganz sachte mit langsamem Senken des einen Armes nach außen eintraten, immer zwei einander sich zuwendend. Der Rhythmus des Laufens und Schwunges nach außen hatte sich nicht nur wiederholt, das Geschehen war noch gesteigert worden durch dies unerwartete Entschwinden der Bewegung, die im Sonnenschein und im Glanz des hellen Kreises untertauchte und verging. Aber schon begann die dritte Steigerung.

Die zwei Knaben eines jeden Paares glitten seitlich nebeneinander, die Hände faßten sich und führten die Arme hinter dem Nacken herum, der sich zurückbog, um die Anspannung der Schultern auszugleichen; und während die Körper in einer leichten Rückwärtsbewegung diesem Zurückneigen des Kopfes folgten, senkten sich die Arme geschmeidig den Rücken hinab bis an die Hüften. Die Körper beugten sich stärker zurück, die Stellungen erzwangen einen zunehmend kecken und kraftvollen Umschwung nach rückwärts, der den Rhythmus bei diesem seinem dritten Auftreten durch das Ausdehnen seines Ansteigens vergrößerte und der Bewegung des ganzen Reigens eine weitere Spannung gab. Zuerst hatte der Rhythmus mit seinem langgedehnten Hinundherwiegen einen einfachen Massentanz erwarten lassen; jetzt wurde er kunstvoll, als die Tänzer mit echt knabenhafter Lust und Leichtigkeit das Geschehen verzögerten und vergrößerten, sobald die Bewegung schwierig wurde und die festen, schmalen Körper sich ganz einsetzen mußten. Aus diesem Anlauf entwickelte sich mit einem Schlage eine mächtige Bewegung des Ganzen.

Überall löste sich ein Händepaar, die Körper flogen, von den anderen Armen gezogen, herum, im Sprunge nach innen drehte sich der eine, so daß sie beide nebeneinander auf der Linie ihres Schwunges weitergeschnellt wurden. Immer ein Paar vorwärts und das vor ihm nach rückwärts mit aufstampfenden, den Rhythmus suchenden Schritten, die Kette der vier faßte sich, als sie nebeneinander waren, und mußte sich, der Bewegung folgend, wieder im Kreise umschwingen. Dabei wandelten sich die Schritte sofort wieder zu gleitenden Sprüngen um. Nach jedem vollendeten Umschwung wurde die Kreisbewegung wieder gewaltsam in stampfendem Aufsprunge abgelenkt auf das nächste Paar zu, das schon entgegenkam zu neuen Herumschleudern. Sieben solcher Kreise drehten und entrollten sich auf dem Umfange des großen Kreises, ließen nach jedem Umschwunge die Paare fliegen, das Vorwärtsgeschwungene ergriff das ihm Entgegenfliegende des Kreises vor ihm, und neue Kreise drehten sich. Ein wirbelnder, übermütiger Rhythmus entstand durch den Wechsel dieses federleichten Umschwingens mit dem stampfenden Aufspringen beim Vorwärtslaufen, aus dem die Bewegung immer wieder in neu gebildete Kreise, Knabenarme wie glänzende Schwingen ausbreitend, floh. Die Kraft und Gewandtheit, die Lust des Aufstampfens, die schwierige Bewegung, das alles gehörte zu diesem Tanz von Jungens, ebenso wie die Sonne, der blaue Himmel und die flatternden, warmen Windstöße.

Und diese Bewegung blieb lange gleichsam unbeweglich aufgerichtet und hatte durch das absolut sichere Festhalten des Tempos etwas Triumphierendes; als sie sich endlich auflöste, war es wie ein jauchzendes Zerflattern. Als die Doppelpaare in ihrem Schwunge wieder alle gleichzeitig die große Kreislinie überschritten, löste sich das Ganze plötzlich in ein verwirrendes Einzelbewegen auf, ein Huschen der Hauptkreislinie entlang, die eine Hälfte der anderen entgegenbewegt. In ein Sichausweichen und unter gehobenen Armen Hindurchschlüpfen. Und dann kam dies alles langsam zum Halten. Die Knaben breiteten die Arme aus, um die Bewegung zu hemmen, sie wichen sich nicht mehr aus, sondern faßten sich im Schreiten an und ließen sich von ihrer Bewegung langsam im Kreise umtreiben, sie jedesmal dabei verringernd. Dies Langsamwerden geschah ganz regelmäßig, wie ein Ausklingen und Vergehen einer Musik, und die vollkommene Beherrschtheit, die sich beim Verzögern einer Bewegung noch mehr offenbart, wie bei der größten Kraftentfaltung, machte, daß dieses Zurücktreten des Geschehens nicht wie ein Abschluß wirkte, sondern wie ein Platzmachen für etwas Neues, wie ein erwartungsvolles Verstummen. Hier sah man drei Jünglinge in den Kreis schreiten, wo sie warteten. Die letzten Schritte führten alle Knaben nach außen; es war wieder einen Moment, als ob das Geschehen sich anschickte, im Sonnenlicht und in der warmen Luft zu verschwinden. Die Knaben ließen sich auf ein Knie nieder und streckten sich dann langsam im Grase aus, die Gesichter den drei Jünglingen zugekehrt, die schon begonnen hatten, den Tanz langsam und feierlich fortzusetzen. Die Bewegungen des Knabenreigens erschienen wieder in diesen drei einzelnen, deren größere und kraftvollere Erscheinung den Reigen in starker Vereinfachung abzubilden begann. Es war, als habe diese frühere Bewegung selbst durch eine magische Wirkung in der Mitte des lebenden Kreises sichtbare Gestalt angenommen, als sie sich aus dem Ring der Knaben zurückzog.

Die Jünglinge entwickelten die Bewegungen weiter zu neuen Formen, und wie dort in der Mitte Neues sich einstellte, zog es auch die Knaben wieder mehr und mehr in das Geschehen hinein. Erst war es nur ein Antworten, als ob Wellen, vom Mittelpunkte her sich ausbreitend, ihren Kreis überschritten, dann wurde es ein kunstvolles Wechselspiel. Da waren nicht mehr die Jünglinge oder die Knaben, sondern die Bewegung selbst war irgendwo zwischen oder über ihnen, wie eine gewaltige unsichtbare Form, die wuchs und sich ausbreitete.

———————

IX. KAPITEL.

Tanzaufführungen, Allgemeintänze und Pantomimen.

Es war bisher meistens nur von Aufführungen die Rede, von Tänzen, die förmlich dirigiert werden müßten, wie dies in der Praxis denn auch geschehen ist. Und wo bleibt nun der Tanz aller? denn die geschilderten Tänze auszuführen, kann nicht jedem gelingen, es setzt ein langes Studium und eine ausgesprochene Begabung voraus.

Eine Parallelfrage: Wo ist die Musik aller, wo ist irgend eine Kunst, an der alle ausführend teilnehmen? Ein Kunstwerk kann nur ein einzelner schaffen, und die Ausführenden müssen ihm dienen. Die Aufnehmenden aber müssen.es nachschaffen aus ihrem Eigenen, so gut sie das vermögen. Der Allgemeintanz hat mit dem Tanzkunstwerk nichts zu tun.

Wohl aber ist er wertvoll und hoch einzuschätzen als Schulung für die Tanzkunst, ebenso wie aller Sport und jede Gymnastik. Man wird auch neue Tänze erfinden, neue Bewegungsprobleme aus dem Sport holen und fruchtbar machen, und die Eroberung des Tanzes als Gebiet der Kunst wird auch das Tanzen überhaupt zu einer Kultursache machen.

Vor allem wird man feinfühliger werden gegen Geschmacklosigkeiten beim Tanz, gegen importierte Niggertänze und Geschmacklosigkeiten der Musik und Kleidung. Man wird vor allem mehr tanzen, viel mehr! Und Müdigkeit und Blasiertheit werden sich nicht mehr als Überlegenheit aufspielen können, sondern allgemein als Untüchtigkeit geachtet werden, als Verarmtheit in den uralten Instinkten des gesunden Menschen.

Freilich weiter kann die Bedeutung der Gesellschaftstänze nicht reichen, eher scheinen die Reigen ein Weg zur Kunst. Aber die Massenbewegung ist nicht sehr modulationsfähig, und alle schönen Wirkungen solcher Reigen sind eigentlich nur Variationen des einen Eindrucks, der Herrschaft eines Gesetzes in einem komplizierten Ganzen. Es steckt darin meistens mehr Geometrie als Bewegungskunst.

Die Pantomime als Tanzkunstwerk hat es früher in ziemlich hoher Vollendung gegeben, und das triviale Ballett stellt eigentlich eine Degeneration derselben vor. In diesem Buche ist bisher nur von Bewegungskunst die Rede gewesen, mit bösem Willen könnte man sagen: von Tänzen, die der Physiklehrer macht, und die Pantomimen macht der Dichter! Sollte nicht vielmehr hier der Weg zur Tanzkunst sein?

Sicher stellt das Hineinbringen pantomimistischer Elemente in den Tanz eine Erleichterung der Auffassung dar; und die Sache liegt wohl ähnlich wie bei der Programmusik, d. h. es ist wohl eine Bereicherung, aber auch eine schwere Gefahr, nämlich die, daß hinter dem Stofflichen das Künstlerische zurücktritt, deshalb ist die Pantomime in diesem Buche, das vom Künstlerischen reden soll, bisher nicht erwähnt worden. Das folgende Beispiel wird beweisen, daß sie in der Praxis die ihr gebührende Rolle gespielt hat.

X. KAPITEL.

Ein Tanz mit teilweis pantomimistischer Grundlage als Darstellung einer Musik.

Auf der Bühne stand der große schwarze Konzert-flügel schon im Halbschatten. Alles Licht war in der Mitte, wo das Mädchen stand. Der Spieler ließ den Schlußton des Vorspiels* lang ausklingen. Das Mädchen hatte bei dieser halb verträumten, halb leidenschaftlichen Einleitung zur „Szene" nicht viel getanzt. Es war nur eine flatternde Melodie von Bewegung gekommen von irgendwoher, wie ein zugeflogener Vogel.** Der Schleier hatte sich jetzt über das Mädchen gelegt und die Bewegung war unter der Hülle ganz still geworden. Der Schlußton klang und wartete immer noch.

In dem Zuschauer kam die Erinnerung an den Tanz zurück. Die wenige Bewegung hatte in solcher Erwartung geendet, als hielte sich jetzt etwas Unsichtbares, Wirkliches bereit. Ein der Bewegung eigentümliches Gesetz mußte dahinter stehen. Der Zuschauer hatte Schönheit erlebt und doch gar nicht darauf geachtet, wie das Mädchen ausgesehen hatte. Es war immer nur Bewegung dagewesen, eine stets

---

* 3. Bagatelle von A. Halm in A-Moll, Stuttgart, Zumsteegs Verlag.
** Vergl. wie im Vorspiel in der Triolenbewegung allmählich Rhythmus und Thema entstehen.

die nächste auslösend, von dem Momente an, wo das Licht in dem Schleier auf- und abzusteigen begonnen hatte — aus ihm war es weitergezuckt, und die hellen Erscheinungen der Arme hatten sich bewegt — dann waren die matten Flächen, in denen das schattenfarbige Gewand dem Körper sich entlang schmiegte, von dem Widerschein lebendig geworden wie ganz dünne elastische Eistafeln über dunklem Wasser, in dem Moment, wo der Wind aufspringt — und dies ganze Geschehen war aus sich selber heraus erwachsen, als hätte das Mädchen gar nichts dazu getan. Was so die Musik aufgeweckt und mit sich geführt hatte, war doch anders als sie, es war etwas aus ihr herausgetreten in eine andere Wirklichkeit. Die Bewegung selbst war um das Mädchen her entstanden, sobald die Töne sich um den Flügel herum auszubreiten begonnen hatten und die lockeren Lichtzeichnungen in dem Schleier zu gleiten anfingen. Durch die Schichten der Tonwellen kam die Bewegung höher und sichtbarer heraufgestiegen, da dehnten sich tastend die Andeutungen des Körpers auf dem Gewande, griffen empor dem Schimmer des Armes und der Schulter nach, trieben einen Reflex vor sich her über Gesicht und Haar, und dann schoben sich große Falten des Gewandes vorüber, bis aus ihnen die Gestalt wieder auftauchte. Das Licht wuchs an ihr empor aber der Schleier kam auf seiner Bahn vorübergezogen und in ihm stieg es schneller und floß leuchtend den bloßen Arm entlang, fand das Gesicht und sprang auf die andere Hand, die emporkam. In der Musik hielt die Bewegung die Melodietöne fest, daß sie sich entfalteten wie große Fahnenstoffe, und hier legte sie das Licht breit auf Flächen und trieb so ihr Spiel um das Mädchen, das sich zuletzt hoch aufrichtete. Der

48

Schleier wehte in der Luft und wie die Schlußtakte der Musik plötzlich leise verklangen, senkte er sich langsam auf das emporgewendete Gesicht und die ausgebreiteten Arme nieder, die senkten sich auch. Ein Lösen der Spannung zog über die ganze Gestalt wie ein Hauch von Unwirklichkeit; es war die Bewegung, die verschwand und nur die einfache Wirklichkeit zurückließ — das Mädchen stand auf der Bühne.

Jetzt flog dünn und flüchtig das erste Motiv der „Szene" durch die Luft, der Knabe erschien im Lichtkreise, das Mädchen floh, wie von der sich überstürzenden Melodie mitgenommen mit nachwehendem Schleier, wandte sich um ihn zu raffen und überließ sich, von der Bewegung des nachkommenden Knaben mehr und mehr beeinflußt, der Wendung, die sie ihm zukehrte. Ihre Arme, die das Gleichgewicht suchten, führten den Schleier vor sie, so verbarg sie sich dahinter. Als der Knabe mit einem leichten Sprunge bei ihr war, wollte sie ausweichen, aber seine Hand, die ihre erhascht hatte, vereinigte ihre Bewegungen* zu einem kecken Umschwunge. Die Hände flogen gelöst voneinander, die anderen haschten sich, und in entgegengesetztem Umschwingen warfen sie sich wieder zurück, und dann wieder vor, bis der Schwung** plötzlich das Mädchen weit fort entführte. Aber als er diesmal folgte, kam sie ihm leicht entgegen,*** und eine wiegende Bewegung beim Sichbegegnen und bei den Händennehmen schuf in ihnen schon den dreiteiligen Rhythmus der kommenden Melodie, sie ankündigend.

---

* Bei dem Forte Takt 4.
** Bei dem wiederkehrenden 1. Motiv.
*** Vergl. den geschmeidigen Übergang der Melodie im 8. und 9. Takt.

Sie haschten sich und spielten mit dem Schleier, jeden Impuls der Melodie abbildend, und deren symmetrischer Aufbau gab ihrem Bewegen Rhythmus und Form. Der Knabe griff den Schleier und warf ihn dem Mädchen über den Kopf, die seine Bewegung zum Kreise umzulenken begann, indem sie unter seinem gehobenen Arme durchzuschlüpfen versuchte. Da schwang er sich rasch herum und warf ihr, die schon von ihm weggewendet fliehen wollte, das andere Ende des Schleiers nach. Das zog ihn weiter in ihre Bewegung hinein und beider Schwung vereinigte sich, während er sie über ihre Schultern hinweg bei den Händen nahm und rücklings leicht mit sich führte. Sie aber sträubte sich mit der gesteigerten Bewegung der Melodie und drehte sich plötzlich, ihm den Schleier in der Hand lassend, umwirbelnd aus ihm heraus — das alles geschah ganz schwerelos und jede Bewegung war abgemessen wie die Bewegung der Melodietöne.

Als die Melodie in die Umkehrung sprang,[*] begann das Mädchen schon, noch im Schwunge der letzten Drehung, den Knaben ebenso einzufangen wie er sie vorher, und so kehrte sich auch die Form der Bewegung um. Und in dem Spiele, das das zierlichere Mädchen mit dem Knaben trieb, war schon weiterführend die Spannung, wie er antworten würde. Als die Melodie straff und kraftvoll, gleichsam zusammenfassend noch einmal begann, schwenkte er dem Mädchen mit einer kräftig ausholenden Bewegung noch einmal wie zu gründlicher Wiederholung den Schleier über das Gesicht. Da bog sie sich, geschmeidig die ausweichende Bewegung diesmal umkehrend, zurück

---

[*] Takt 14.

und hatte jählings auch ihn gefangen — die abwehren-
den Hände der beiden griffen sich, ein Schwung
drehte sie zugleich aus dem Schleier heraus, flog in
ihren Armen empor, die Hände hielten den Schleier
noch, und so wurde er hoch hinaufgeschleudert *
und nahm die Bewegung aus ihren Körpern mit
empor. Dann sank alles langsam, wie die Melodie
plötzlich ruhig wurde. Der Schleier kam auf die
Hände nieder, jedes faßte ihn mit einer Hand, die
anderen Hände fanden sich, die Körper bewegten sich
leicht hin und her wie die Melodie, als würde alles
von dem langsamen Schwanken eines breiten Wassers
getragen, einem neuen Geschehen zugetragen.

Das war nun die Liedmelodie der „Szene", die so
italienisch klingt wie Chorgesang zur Gitarre im
fernen Garten am Sommerabend. Und dazu tanzten
sie eine Art ganz langsamen Walzers, bei dem die
freien Hände der beiden den Schleier wehen ließen;
bald zog er mit ihnen herum, bald führte die Bewegung
den Knaben oder das Mädchen unter ihm hinweg eins
in den Arm des anderen und so glitten sie leicht und
traumhaft langsam hin und der Schleier beschrieb —
viel langsamer als sie — zwischen ihnen durch und
über sie hinweg eine große farbige Spirale.

---

* S. den stark betonten 20. Takt.

XI. KAPITEL.

Nachtrag zu den Beispielen: Mädchen, Schleier, Kostüme u. dergl.

Es ist wohl aufgefallen, daß in den angeführten Beispielen in der Hauptsache Tänze von Mädchen beschrieben worden sind. In dieser Auswahl liegt nichts Prinzipielles, die Beispiele sind aus der Wirklichkeit entnommen oder weitergedichtet worden, und Zufälligkeiten wie z. B. beschränkte unbequeme Räumlichkeit und vor allem die Neuheit der ganzen Sache hatten die psychologisch begreifliche Wirkung, daß die Mädchen mit größerer Lust und Ausdauer studierten, als die Knaben, und daß mehr Tänze für Mädchen entstanden sind. Beide Geschlechter tanzen völlig verschieden, vor allem in der Art, wie eine Bewegung verstärkt, oder das Tempo verändert wird. Daher liegt in der Ausführung durch beide gemeinsam eine Fülle reizvoller Möglichkeiten zur Variation, zugleich natürlich auch eine bedeutende Erschwerung der Aufgabe des Schaffens sowohl, wie des Begreifens.

Es ist weiter noch gar nicht von den Tanzkostümen geredet worden. Benutzt wurde meist die von Dalcroze eingeführte, anliegende schwarze Kleidung, denn so lange es sich beim Tanze nur um Körperbewegungen handelt, muß der Körper natürlich zu sehen sein, sonst ist ein Begreifen des Zusammenhanges der Bewegungen, also eine der Hauptsachen, unmöglich. Dann bedeutet jede eigentliche Kleidung eine Komplikation der Bewegung, die vor sich geht, und damit eine Bereicherung der Möglichkeiten der Bewegung; und die Tanzkunst wird diese Möglichkeiten sicher ausnutzen. Ein Tanz im Gewand ist freilich viel schwerer, viel kunstvoller, als der, bei dem nur der Körper sich bewegt, aber er kann, weil der Möglichkeiten mehr sind, auch eine größere Fülle von Schönheit entfalten. Voraussetzung ist dabei natürlich, daß die Kleidung benützt wird, d. h. daß sie im Aufbau und in der Kombination der Bewegung beachtet wird, gleich als wäre sie ein Wesen, das mittanzt.

Der einfachste Partner solcher Art beim Tanze ist der Schleier. An ihm lernt das Mädchen am besten sich bewegen, indem es den Schleier bewegt und darüber den eigenen Körper vergißt. Ihn kann es leicht, da es ihn sieht, in einer ohne Knick und Unebenheit fortlaufenden Bewegung erhalten und dabei ternen, sich selbst so zu bewegen. Der Schleier soll nur zu diesem dynamischen Zweck benutzt werden, nicht als schöne Draperie.

Schwieriger ist, wie oben schon ausgeführt, das Tanzen in einer eigentlichen Kleidung. Ein langes, loses Gewand aus nicht zu leichtem Stoff ist wohl die beste. Welche Fülle von Bewegungen es darstellen kann, indem es die mehr kurze, runde Bewegung des Körpers vergrößert, reiner und einfacher ausspricht, und dabei in seinen Falten wie zu einem Spektrum zerlegt, ist überraschend. Aber ebenso schwer ist es, diese Möglichkeiten zu benützen, nicht in ihnen zu improvisieren, sondern mit ihnen zu schaffen. Das

Gewand hat von vornherein etwas Festliches, Großes, es kann durch die Farbe und die Art des Stoffes die Stimmung sofort beeinflussen.

Endlich ist vielleicht noch einiges über die Realität der in dem Buche angeführten Beispiele zu sagen. Wenngleich einige den Eindruck der tatsächlichen Aufführung schildern, ist doch natürlich viel hinzuge- dichtet worden, vor allem in die Zuschauer hinein. Nur allerdings nicht in der Weise, daß ein Zuschauer für diese Tänze nachträglich, um sie gewissermaßen zu legitimieren, am grünen Tisch konstruiert worden ist, sondern nur durch eine Art Multiplikation der Zu- schauer, die sich hier in der Praxis entwickelt haben. Wenn erst die Körperkultur und das Interesse dafür allgemein und intensiv geworden sind, wird die Ge- fahr nicht groß sein, daß man in diesem Buch den ab- sonderlichen Geschmack absonderlicher und abnorm doktrinär veranlagter Menschen zu finden glaubt.

An der freien Schulgemeinde, welche die Körper- kultur ebenso wie die Arbeit an der geistigen als Pflicht und Grundrichtung der Lebensführung in Wirklichkeit umsetzt, waren solche Aufführungen möglich. Und sie haben fast sämtlich gezeigt, daß aus dem Prinzip, die Bewegung als einziges Material zur Tanzkunst aufzufassen, auf jede Absicht in Stel- lungen, Plastik oder Ausdruck zu verzichten, den Rhythmus und das Tempo nur im Gefolge der Be- wegung und nicht für sich allein als Träger der Stim- mung anzusehen, daß aus diesem einfachen und frucht- baren Prinzip der Tanzkunst tatsächlich um so mehr Anmut und Körperschönheit, um so mehr Abtönung und Einheitlichkeit der Stimmung folgt, je konse- quenter es beim Schaffen, Einüben und Ausführen durchgeführt werden könnte. Es ist klar, daß diese

Theorie einen Beigeschmack von Physik und Geometrie hat. Den hat z. B. die Harmonielehre auch, und überhaupt wohl die Theorie einer jeden Kunst, und es kommt nur darauf an, daß die Kunst nicht im Gefolge der Theorie erscheine, sondern diese als eine Projektion der Kunst auf die Ebene des Intellekts. Diese Projektion wird immer nötig, sobald es Lernende gibt und nicht nur Genießer.

Goethe: Es begegnete und geschieht mir noch, daß ein Werk bildender Kunst mir beim ersten Anblick mißfällt, weil ich ihm nicht gewachsen bin; ahn' ich aber ein Verdienst darin, so such' ich ihm beizukommen, und dann fehlt es nicht an den erfreulichsten Entdeckungen: an den Dingen werd' ich neue Eigenschaften, und an mir neue Fähigkeiten gewahr.

Wickersdorf, den 7. März 1911.

CPSIA information can be obtained
at www.ICGtesting.com
Printed in the USA
BVHW04*1050170918
527708BV00015B/2050/P